LEXIQUE DES RÉGULATEURS DE VITESSE

Hydro-Québec
Vice-présidence Information et Affaires publiques

Première édition : 1990

Dépôt légal — 4e trimestre 1990
Bibliothèque nationale du Québec
Bibliothèque nationale du Canada

ISBN 2-550-20250-3
963-3931

Le *Lexique des régulateurs de vitesse* a été réalisé par

le service Terminologie et Diffusion
Direction Édition et Publicité

Jean-Marc Lambert, terminologue
Francine Morel, terminologue
Service Terminologie et Diffusion

avec le concours de

Claire Dion
Jean-Pierre Gélinas
Louis Dallaire
René Garcia
Renée Lévy

Graphisme

Service Publicité et Promotion
Direction Édition et Publicité

Collaboration

Traitement de textes :
Chantal Rivest, Simone Riscalla et Michelle Pilote
Service Terminologie et Diffusion

AVANT-PROPOS

Le *Lexique des régulateurs de vitesse* s'adresse aux opérateurs et aux spécialistes des centrales et à toute personne dont le travail porte sur l'utilisation et l'entretien des régulateurs de vitesse. Il contient des termes décrivant les principaux éléments des régulateurs de vitesse ainsi que quelques termes relatifs à leur fonctionnement. Cette terminologie est tirée d'une notice technique intitulée *Cabinet Actuator for Governing Hydraulic Turbines* de la compagnie Woodward et de la traduction qu'en a effectué Mme Claire Dion, traductrice, à la demande de M. Jean-Pierre Gélinas, coordonnateur de formation au secteur Beauharnois. Pour ce travail, Mme Dion a obtenu la collaboration de M. Louis Dallaire, conseiller, service Essais et Expertises techniques de la région Maisonneuve. Elle s'est également inspirée d'une traduction effectuée quelques années auparavant par Mme Renée Lévy, conseillère en communication écrite, service Édition et Communication écrite.

Bien que les termes contenus dans le présent lexique soient tirés d'un document qui décrit un type particulier de régulateur de vitesse, nous croyons qu'ils peuvent également s'appliquer à d'autres types de régulateurs. L'utilisateur devra prendre note que ces termes ne sont pas normalisés.

Le lexique comporte deux parties. La première contient les termes anglais classés par ordre alphabétique ainsi que leurs équivalents français. La deuxième donne les termes dans l'ordre alphabétique français avec les équivalents anglais.

Nous espérons que ce lexique sera utile et que les utilisateurs voudront bien communiquer leurs observations et leurs commentaires au service Terminologie et Diffusion.

NOTES LIMINAIRES

1. La virgule sépare les synonymes.

2. Le point-virgule sépare les termes qui ne sont pas synonymes.

3. Des explications ou des précisions sur le sens des termes sont indiquées entre parenthèses.

LEXIQUE ANGLAIS - FRANÇAIS

A

accelerometer	accéléromètre
accelerotachometric governor	régulateur accélérotachymétrique, régulateur de vitesse accélérotachymétrique
accelerotachometric governor with temporary feedback	régulateur accélérotachymétrique à asservissement transitoire
actuator control panel	tableau de commande du régulateur
actuator pilot valve, governor pilot valve, pilot valve	distributeur pilote
actuator pilot valve strainer, pilot valve strainer	filtre du distributeur pilote
adjustable pivot pin and screw	curseur de réglage et écrou de manoeuvre
adjusting knob	bouton de réglage
adjusting screw	vis de réglage
air brake control knob	bouton de commande des freins pneumatiques
air brake valve	robinet de frein pneumatique

aligning block	bloc d'alignement
aligning strap	barrette d'alignement
auxiliary valve	distributeur auxiliaire
auxiliary valve centering adjustment	réglage du centrage du distributeur auxiliaire
auxiliary valve gate limit link	biellette de raccordement du limiteur d'ouverture au distributeur auxiliaire, biellette de raccordement du distributeur auxiliaire
auxiliary valve link	bielle de commande du distributeur auxiliaire
auxiliary valve plunger	tiroir du distributeur auxiliaire

B

ball check plug	clapet à bille
ballarm (in governor head)	bras porte-masselotte
ballarm driver extension, extension	prolongement de la chape d'entraînement
ballarm spring	ressort de rappel des bras porte-masselottes
bell crank	levier coudé

bushing	bague de réglage (sur un vibrateur de distributeur pilote) ; chemise (autour d'un tiroir de distribution)

C

cabinet	armoire
cabinet actuator	régulateur en armoire
cabinet light switch	interrupteur d'éclairage de l'armoire
cable end	embout de jonction du câble
cap screw	vis à chapeau
check valve	clapet anti-retour
clamp plate	plaque de serrage
clamp screw	vis de blocage
closing plunger	piston de blocage (du conduit de fermeture)
compensating crank	manivelle de compensation (amortisseur)
compensating dashpot, dashpot	amortisseur
compensating oil, dashpot oil	huile pour amortisseur

conduit	canal
control column	colonne de commande
controlet case	corps du servomoteur du distributeur principal
control loop	boucle d'asservissement, boucle de régulation
control rate	vitesse de régulation
cutout arm	bras d'isolement

D

dashpot, compensating dashpot	amortisseur
dashpot assembly	ensemble de l'amortisseur
dashpot bore	chambre d'amortissement
dashpot needle	pointeau de l'amortisseur
dashpot oil, compensating oil	huile pour amortisseur
dashpot plunger	piston d'amortissement, piston de l'amortisseur
derivative control	régulation par dérivation
discharge, drain	évacuation, retour au réservoir

distributing valve	distributeur principal
distributing valve assembly	ensemble du distributeur principal
distributing valve bushing	chemise du distributeur principal
distributing valve case	corps du distributeur principal
distributing valve gate limit link	biellette de raccordement du distributeur principal
distributing valve plunger	tiroir du distributeur principal
drain, discharge	évacuation, retour au réservoir
drooping characteristic	caractéristique de statisme

E

eccentric	excentrique
eccentric shaft	arbre excentré
extension, ballarm driver extension	prolongement de la chape d'entraînement

F

ferrule	virole
filter element	élément filtrant
flat spring	lame élastique
floating lever	levier flottant
floating lever connecting rod	tige de raccordement des leviers flottants
float valve	robinet à flotteur
flow regulator	régulateur de débit
flyball	masselotte
flyball arm (in permanent magnet generator)	bras porte-masselotte
flyball rod	tige du tachymètre
flyball stop	butée de masselotte
friction gear	roue dentée de friction, engrenage de friction

G

gate limit	limiteur d'ouverture
gate limit control knob	bouton de commande du limiteur d'ouverture
gate limit eccentric	excentrique du limiteur d'ouverture
gate limit eccentric shaft	arbre à excentrique du limiteur d'ouverture
gate limit idler gear	roue dentée intermédiaire du limiteur d'ouverture, engrenage intermédiaire du limiteur d'ouverture
gate limit mechanism	mécanisme limiteur d'ouverture
gate limit operating lever	levier de manoeuvre du limiteur d'ouverture
gate limit pointer	aiguille indicatrice de limite d'ouverture
gate limit shaft	arbre du limiteur d'ouverture
gate limit walking beam	balancier du limiteur d'ouverture
gate position and gate limit indicator dial	indicateur de position et de limite d'ouverture des directrices

gate position pointer	aiguille indicatrice de position des directrices
gate restoring shaft	arbre d'asservissement des directrices
gate restoring sheave	poulie d'asservissement des directrices
gate ring	cercle de vannage
gate servomotor, servomotor	servomoteur de vannage
governor head	tachymètre
governor head cover	carter du tachymètre
governor head motor	moteur d'entraînement du tachymètre
governor pilot valve, actuator pilot valve, pilot valve	distributeur pilote
guide sheath	gaine de guidage

L

large dashpot plunger	gros piston de l'amortisseur
limit stop arm	bras d'arrêt du limiteur d'ouverture
limit stop guide	guide de la tige d'arrêt du limiteur d'ouverture
limit stop rod	tige d'arrêt du limiteur d'ouverture
limit stop rod pivot pin	axe d'articulation de la tige d'arrêt du limiteur d'ouverture
lock nut	écrou de blocage
long gate limit lever	levier long du limiteur d'ouverture
lower floating lever	levier flottant inférieur
lower stop nut	écrou d'arrêt inférieur

M

main pressure plunger	piston de blocage de l'alimentation du distributeur principal
mechanical by-pass rod	tige de dérivation mécanique
mechanical cutout arm	bras d'isolement mécanique

N

needle	pointeau
needle bearing	roulement à aiguilles

O

oil filler cup	godet de remplissage d'huile
oil motor	moteur hydraulique
oil motor vibrator	vibrateur à moteur hydraulique
oil motor vibrator flow regulator	régulateur de débit du vibrateur à moteur hydraulique
oil pressure gauge	indicateur de pression d'huile

oil pressure gauge shutoff and snubber	dispositif d'isolement et d'amortissement de l'indicateur de pression d'huile
oil sump tank, sump tank	réservoir de récupération d'huile, récupérateur d'huile
opening plunger	piston de blocage (du conduit d'ouverture)
overspeed trip	déclencheur de survitesse

P

permanent magnet generator	magnéto
petcock	robinet de vidange
pilot valve, actuator **pilot valve, governor** **pilot valve**	distributeur pilote
pilot valve assembly	ensemble du distributeur pilote
pilot valve bushing	chemise coulissante du distributeur pilote, chemise du distributeur pilote
pilot valve bushing spring	ressort de rappel de la chemise du distributeur pilote

pilot valve pin	tige du tiroir du distributeur pilote
pilot valve plug	obturateur du distributeur pilote
pilot valve plunger	tiroir du distributeur pilote
pilot valve restoring lever	levier d'asservissement du distributeur pilote
pilot valve restoring linkage	tringlerie d'asservissement du distributeur pilote
pilot valve restoring pivot lever	levier de réglage d'asservissement du distributeur pilote
pilot valve strainer, actuator pilot valve strainer	filtre du distributeur pilote
piston rod	tige du piston
pivot pin	axe d'articulation
plunger	tiroir ; piston
plunger land	plateau de tiroir
plunger rod	tige de tiroir
pointer	aiguille, index
pressure tank	accumulateur hydraulique
proportional control	régulation proportionnelle

R

reset speed	vitesse de réarmement
reset speed adjusting screw	vis de réglage de la vitesse de réarmement
restoring cable	câble d'asservissement
restoring link	bielle d'asservissement
restoring post	mât d'asservissement
restoring segment gear	secteur denté d'asservissement
restoring segment gear lever	levier du secteur denté d'asservissement
restoring shaft	arbre d'asservissement
restoring sheave	poulie d'asservissement
rod end	douille de raccord (câble d'asservissement) ; embout de la tige du tachymètre ; fourchette de fixation de la tige du tiroir (du distributeur auxiliaire)
rotation signal coupler	coupleur de signal de rotation
rotation signal transmitter	transmetteur de signal de rotation
rotor bushing	douille rotorique

S

servomotor, gate servomotor	servomoteur de vannage
servomotor plunger	piston du servomoteur
servomotor stroke	course du servomoteur
set screw	vis de fixation
sheave	poulie, poulie d'angle
short gate limit lever	levier nain du limiteur d'ouverture
shutdown lever	levier d'arrêt complet
shutdown nut	écrou de réglage d'arrêt complet
shutdown rod	tige d'arrêt complet
shutdown solenoid	solénoïde d'arrêt complet
side arm spring	ressort de rappel
slide block	glissière
sliding fulcrum ball	bille de douille pivotante
small dashpot plunger	petit piston de l'amortisseur
small dashpot plunger spring	ressort de rappel du petit piston de l'amortisseur

solenoid	solénoïde
solenoid by-pass needle valve	vis pointeau de réglage de la dérivation du solénoïde
solenoid by-pass valve	clapet de dérivation du solénoïde
solenoid latch	loquet du contrepoids du solénoïde d'arrêt complet
solenoid weight	contrepoids du solénoïde d'arrêt complet
speed changer	variateur de vitesse
speed changer control knob	bouton de commande du variateur de vitesse
speed changer control knob shaft	arbre du bouton de commande du variateur de vitesse
speed changer indicator dial	indicateur du variateur de vitesse
speed changer mechanism	mécanisme du variateur de vitesse
speed changer-speed droop lever	levier de conjugaison vitesse-statisme
speed droop	statisme
speed droop control knob	bouton de commande du statisme

speed droop fulcrum	douille pivotante de la tige du statisme
speed droop gear	roue dentée de commande du statisme, engrenage de commande du statisme
speed droop indicator dial	indicateur de statisme
speed droop mechanism	mécanisme du statisme
speed droop rod	tige du statisme
speeder spring	ressort d'accélération, ressort de consigne
speed governor	régulateur de vitesse
speed governor with temporary feedback	régulateur de vitesse à asservissement transitoire
speed indicating dial shaft	arbre de l'indicateur du variateur de vitesse
speed set point	consigne de vitesse
spring plug	tampon de ressort
spring washer	rondelle ressort
spud	arceau
stationary pivot	point d'articulation fixe
stop bracket	butée d'arrêt
stop nut	écrou d'arrêt

strainer	filtre
strainer transfer valve segment	râcleur du robinet sélecteur des éléments filtrants
strap suspended type governor head	tachymètre à suspension par étrier
sump oil	huile de retour
sump oil level gauge	indicateur de niveau d'huile du réservoir récupérateur
sump tank, oil sump tank	réservoir de récupération d'huile, récupérateur d'huile
sump tank strainer	filtre du réservoir d'huile
suspension spring	ressort de suspension
suspension spring washer	rondelle de ressort de suspension

T

tachometer (dial)	indicateur de vitesse
tapered plug	fiche conique
tee slot, T slot	fente en T
temporary feedback	asservissement transitoire
temporary feedback governor	régulateur à asservissement transitoire

temporary speed droop	statisme transitoire
thrust bearing	palier de butée
thrust plate	plaque de butée
transfer handle	levier sélecteur
transfer valve	robinet sélecteur de distributeur
transfer valve control knob, transfer valve knob	bouton de commande du robinet sélecteur de distributeur
transfer valve indicator dial	indicateur de pression aux distributeurs
transfer valve indicator shutoff and snubber	dispositif d'isolement et d'amortissement de l'indicateur de pression aux distributeurs
transfer valve knob, transfer valve control knob	bouton de commande du robinet sélecteur de distribution
trapped oil	huile emprisonnée
trip speed	vitesse de déclenchement
trip speed adjusting screw	vis de réglage de la vitesse de déclenchement
T slot, tee slot	fente en T
turbine governor	régulateur de turbine

U

unloader valve	soupape de décharge
unwatered	dénoyé
upper floating lever	levier flottant supérieur
upper stop nut	écrou d'arrêt supérieur

V

valve servomotor	servomoteur du distributeur principal, servomoteur de commande du distributeur principal
valve servomotor assembly	ensemble du servomoteur du distributeur principal
valve servomotor plunger	piston du servomoteur du distributeur principal
vibrator	vibrateur
vibrator type governor head	tachymètre de type autovibrant

W

walking beam	balancier
weight	contrepoids

Z

zero droop	statisme nul

LEXIQUE FRANÇAIS - ANGLAIS

A

accéléromètre	accelerometer
accumulateur hydraulique	pressure tank
aiguille, index	pointer
aiguille indicatrice de limite d'ouverture	gate limit pointer
aiguille indicatrice de position des directrices	gate position pointer
amortisseur	compensating dashpot, dashpot
arbre à excentrique du limiteur d'ouverture	gate limit eccentric shaft
arbre d'asservissement	restoring shaft
arbre d'asservissement des directrices	gate restoring shaft
arbre de l'indicateur du variateur de vitesse	speed indicating dial shaft
arbre du bouton de commande du variateur de vitesse	speed changer control knob shaft
arbre du limiteur d'ouverture	gate limit shaft

arbre excentré	eccentric shaft
arceau	spud
armoire	cabinet
asservissement transitoire	temporary feedback
axe d'articulation	pivot pin
axe d'articulation de la tige d'arrêt du limiteur d'ouverture	limit stop rod pivot pin

B

bague de réglage (sur un vibrateur de distributeur pilote)	bushing
balancier	walking beam
balancier du limiteur d'ouverture	gate limit walking beam
barrette d'alignement	aligning strap
bielle d'asservissement	restoring link
bielle de commande du distributeur auxiliaire	auxiliary valve link

biellette de raccordement du distributeur auxiliaire, biellette de raccordement du limiteur d'ouverture au distributeur auxiliaire	auxiliary valve gate limit link
biellette de raccordement du distributeur principal	distributing valve gate limit link
biellette de raccordement du limiteur d'ouverture au distributeur auxiliaire, biellette de raccordement du distributeur auxiliaire	auxiliary valve gate limit link
bille de douille pivotante	sliding fulcrum ball
bloc d'alignement	aligning block
boucle d'asservissement, boucle de régulation	control loop
boucle de régulation, boucle d'asservissement	control !oop
bouton de commande des freins pneumatiques	air brake control knob
bouton de commande du limiteur d'ouverture	gate limit control knob
bouton de commande du robinet sélecteur de distributeur	transfer valve control knob, transfer valve knob
bouton de commande du statisme	speed droop control knob

bouton de commande du variateur de vitesse	speed changer control knob
bouton de réglage	adjusting knob
bras d'arrêt du limiteur d'ouverture	limit stop arm
bras d'isolement	cutout arm
bras d'isolement mécanique	mechanical cutout arm
bras porte-masselotte	ballarm (in governor head); flyball arm (in permanent magnet generator)
butée d'arrêt	stop bracket
butée de masselotte	flyball stop

C

câble d'asservissement	restoring cable
canal	conduit
caractéristique de statisme	drooping characteristic
carter du tachymètre	governor head cover
cercle de vannage	gate ring
chambre d'amortissement	dashpot bore

chemise (autour d'un tiroir de distribution)	bushing
chemise coulissante du distributeur pilote, chemise du distributeur pilote	pilot valve bushing
chemise du distributeur pilote, chemise coulissante du distributeur pilote	pilot valve bushing
chemise du distributeur principal	distributing valve bushing
clapet à bille	ball check plug
clapet anti-retour	check valve
clapet de dérivation du solénoïde	solenoid by-pass valve
colonne de commande	control column
consigne de vitesse	speed set point
contrepoids	weight
contrepoids du solénoïde d'arrêt complet	solenoid weight
corps du distributeur principal	distributing valve case
corps du servomoteur du distributeur principal	controlet case

coupleur de signal de rotation	rotation signal coupler
course du servomoteur	servomotor stroke
curseur de réglage et écrou de manoeuvre	adjustable pivot pin and screw

D

déclencheur de survitesse	overspeed trip
dénoyé	unwatered
dispositif d'isolement et d'amortissement de l'indicateur de pression aux distributeurs	transfer valve indicator shutoff and snubber
dispositif d'isolement et d'amortissement de l'indicateur de pression d'huile	oil pressure gauge shutoff and snubber
distributeur auxiliaire	auxiliary valve
distributeur pilote	pilot valve, actuator pilot valve, governor pilot valve
distributeur principal	distributing valve
douille de raccord	rod end

douille pivotante de la tige du statisme	speed droop fulcrum
douille rotorique	rotor bushing

E

écrou d'arrêt	stop nut
écrou d'arrêt inférieur	lower stop nut
écrou d'arrêt supérieur	upper stop nut
écrou de blocage	lock nut
écrou de réglage d'arrêt complet	shutdown nut
élément filtrant	filter element
embout de jonction du câble	cable end
embout de la tige du tachymètre	rod end
engrenage de commande du statisme, roue dentée de commande du statisme	speed droop gear
engrenage de friction, roue dentée de friction	friction gear

engrenage intermédiaire du limiteur d'ouverture, roue dentée intermédiaire du limiteur d'ouverture	gate limit idler gear
ensemble de l'amortisseur	dashpot assembly
ensemble du distributeur pilote	pilot valve assembly
ensemble du distributeur principal	distributing valve assembly
ensemble du servomoteur du distributeur principal	valve servomotor assembly
évacuation, retour au réservoir	discharge, drain
excentrique	eccentric
excentrique du limiteur d'ouverture	gate limit eccentric

F

fente en T	tee slot, T slot
fiche conique	tapered plug
filtre	strainer
filtre du distributeur pilote	actuator pilot valve strainer; pilot valve strainer

filtre du réservoir d'huile	sump tank strainer
fourchette de fixation de la tige du tiroir	rod end

G

gaine de guidage	guide sheath
glissière	slide block
godet de remplissage d'huile	oil filler cup
gros piston de l'amortisseur	large dashpot plunger
guide de la tige d'arrêt du limiteur d'ouverture	limit stop guide

H

huile de retour	sump oil
huile emprisonnée	trapped oil
huile pour amortisseur	compensating oil, dashpot oil

I

index, aiguille	pointer
indicateur de niveau d'huile du réservoir récupérateur	sump oil level gauge
indicateur de position et de limite d'ouverture des directrices	gate position and gate limit indicator dial
indicateur de pression aux distributeurs	transfer valve indicator dial
indicateur de pression d'huile	oil pressure gauge
indicateur de pression du frein pneumatique	air brake indicator dial
indicateur de statisme	speed droop indicator dial
indicateur de vitesse	tachometer (dial)
indicateur du variateur de vitesse	speed changer indicator dial
interrupteur d'éclairage de l'armoire	cabinet light switch

L

lame élastique	flat spring
levier coudé	bell crank
levier d'arrêt complet	shutdown lever
levier d'asservissement du distributeur pilote	pilot valve restoring lever
levier de conjugaison vitesse-statisme	speed changer-speed droop lever
levier de manoeuvre du limiteur d'ouverture	gate limit operating lever
levier de réglage d'asservissement du distributeur pilote	pilot valve restoring pivot lever
levier du secteur denté d'asservissement	restoring segment gear lever
levier flottant	floating lever
levier flottant inférieur	lower floating lever
levier flottant supérieur	upper floating lever
levier long du limiteur d'ouverture	long gate limit lever
levier nain du limiteur d'ouverture	short gate limit lever

levier sélecteur	transfer handle
limiteur d'ouverture	gate limit
loquet du contrepoids du solénoïde d'arrêt complet	solenoid latch

M

magnéto	permanent magnet generator
manivelle de compensation (amortisseur)	compensating crank
masselotte	flyball
mât d'asservissement	restoring post
mécanisme du statisme	speed droop mechanism
mécanisme du variateur de vitesse	speed changer mechanism
mécanisme limiteur d'ouverture	gate limit mechanism
moteur d'entraînement du tachymètre	governor head motor
moteur hydraulique	oil motor

O

obturateur du distributeur pilote	pilot valve plug

P

palier de butée	thrust bearing
petit piston de l'amortisseur	small dashpot plunger
piston	plunger
piston d'amortissement, piston de l'amortisseur	dashpot plunger
piston de blocage (du conduit de fermeture)	closing plunger
piston de blocage (du conduit d'ouverture)	opening plunger
piston de blocage de l'alimentation du distributeur principal	main pressure plunger
piston de l'amortisseur, piston d'amortissement	dashpot plunger
piston du servomoteur	servomotor plunger

piston du servomoteur du distributeur principal	valve servomotor plunger
plaque de butée	thrust plate
plaque de serrage	clamp plate
plateau de tiroir	plunger land
point d'articulation fixe	stationary pivot
pointeau	needle
pointeau de l'amortisseur	dashpot needle
poulie, poulie d'angle	sheave
poulie d'angle, poulie	sheave
poulie d'asservissement	restoring sheave
poulie d'asservissement des directrices	gate restoring sheave
prolongement de la chape d'entraînement	ballarm driver extension, extension

R

râcleur du robinet sélecteur des éléments filtrants	strainer transfer valve segment
récupérateur d'huile, réservoir de récupération d'huile	oil sump tank, sump tank
réglage du centrage du distributeur auxiliaire	auxiliary valve centering adjustment
régulateur à asservissement transitoire	temporary feedback governor
régulateur accélérotachymétrique, régulateur de vitesse accélérotachymétrique	accelerotachometric governor
régulateur accélérotachymétrique à asservissement transitoire	accelerotachometric governor with temporary feedback
régulateur de débit	flow regulator
régulateur de débit du vibrateur à moteur hydraulique	oil motor vibrator flow regulator
régulateur de turbine	turbine governor
régulateur de vitesse	speed governor

régulateur de vitesse à asservissement transitoire	speed governor with temporary feedback
régulateur de vitesse accélérotachymétrique, régulateur accélérotachy-métrique	accelerotachometric governor
régulateur en armoire	cabinet actuator
régulation par dérivation	derivative control
régulation proportionnelle	proportional control
réservoir de récupération d'huile, récupérateur d'huile	sump tank, oil sump tank
ressort d'accélération, ressort de consigne	speeder spring
ressort de consigne, ressort d'accélération	speeder spring
ressort de rappel	side arm spring
ressort de rappel de la chemise du distributeur pilote	pilot valve bushing spring
ressort de rappel des bras porte-masselottes	ballarm spring
ressort de rappel du petit piston de l'amortisseur	small dashpot plunger spring
ressort de suspension	suspension spring

retour au réservoir, évacuation	discharge, drain
robinet à flotteur	float valve
robinet de frein pneumatique	air brake valve
robinet de vidange	petcock
robinet sélecteur de distributeur	transfer valve
rondelle de ressort de suspension	suspension spring washer
rondelle ressort	spring washer
roue dentée de commande du statisme, engrenage de commande du statisme	speed droop gear
roue dentée de friction, engrenage de friction	friction gear
roue dentée intermédiaire du limiteur d'ouverture, engrenage intermédiaire du limiteur d'ouverture	gate limit idler gear
roulement à aiguilles	needle bearing

S

secteur denté d'asservissement	restoring segment gear
servomoteur de commande du distributeur principal, servomoteur du distributeur principal	valve servomotor
servomoteur de vannage	servomotor, gate servomotor
servomoteur du distributeur principal, servomoteur de commande du distributeur principal	valve servomotor
solénoïde	solenoid
solénoïde d'arrêt complet	shutdown solenoid
soupape de décharge	unloader valve
statisme	speed droop
statisme nul	zero droop
statisme transitoire	temporary speed droop

T

tableau de commande du régulateur	actuator control panel
tachymètre	governor head
tachymètre à suspension par étrier	strap suspended type governor head
tachymètre de type autovibrant	vibrator type governor head
tampon de ressort	spring plug
tige d'arrêt complet	shutdown rod
tige d'arrêt du limiteur d'ouverture	limit stop rod
tige de dérivation mécanique	mechanical by-pass rod
tige de raccordement des leviers flottants	floating lever connecting rod
tige de tiroir	plunger rod
tige du piston	piston rod
tige du statisme	speed droop rod
tige du tachymètre	flyball rod

tige du tiroir du distributeur pilote	pilot valve pin
tiroir	plunger
tiroir du distributeur auxiliaire	auxiliary valve plunger
tiroir du distributeur pilote	pilot valve plunger
tiroir du distributeur principal	distributing valve plunger
transmetteur de signal de rotation	rotation signal transmitter
tringlerie d'asservissement du distributeur pilote	pilot valve restoring linkage

V

variateur de vitesse	speed changer
vibrateur	vibrator
vibrateur à moteur hydraulique	oil motor vibrator
virole	ferrule
vis à chapeau	cap screw
vis de blocage	clamp screw

vis de fixation	set screw
vis de réglage	adjusting screw
vis de réglage de la vitesse de déclenchement	trip speed adjusting screw
vis de réglage de la vitesse de réarmement	reset speed adjusting screw
vis pointeau de réglage de la dérivation du solénoïde	solenoid by-pass needle valve
vitesse de déclenchement	trip speed
vitesse de réarmement	reset speed
vitesse de régulation	control rate

BIBLIOGRAPHIE

ATELIERS DE CONSTRUCTIONS MÉCANIQUES DE VEVEY SA., *Régulateurs de turbines hydrauliques*, Suisse, septembre 1968, 64 p.

COMMISSION ÉLECTROTECHNIQUE INTERNATIONALE (CEI), *Vocabulaire électrotechnique international, Publication 50 (37), Équipements de commande et de régulation automatique*, 2e édition, Genève, (CEI), 1966, 52 p.

COMMISSION ÉLECTROTECHNIQUE INTERNATIONALE (CEI), *Vocabulaire électrotechnique international, Publication 50 (351), Commande et régulation automatiques*, 1re édition, Genève, (CEI), 1975, 58 p.

CONSEIL INTERNATIONAL DE LA LANGUE FRANÇAISE (CILF), *Dictionnaire des industries*, Paris, 1986, 1082 p.

DE BESSÉ, Bruno, *Termes techniques nouveaux*, Paris, Feutry, 1982, 366 p.

Encyclopédie des sciences industrielles Quillet, vol. 2 : Électricité-Électronique-Applications, Paris, Quillet, 1973, 804 p., *vol. 3 : Mécanique-Généralités-Applications, Applications-Transports*, Paris, Quillet, 1974, 976 p.

Grand dictionnaire encyclopédique Larousse, Paris, Larousse, 1982-1985, 10 vol.

INSTITUTE OF ELECTRICAL AND ELECTRONICS ENGINEERS (IEEE), *IEEE Standard Dictionary of Electrical and Electronics Terms*, New York, IEEE, 1978, 882 p.

McGraw-Hill Dictionary of Scientific and Technical Terms, New York, McGraw-Hill, 1978, p.v.

ROBERT, Paul, *Le Petit Robert 1*, Paris, Dictionnaires Le Robert, 1979.

VEVEY ENGINEERING WORKS LTD., *Hydraulic Turbine Governors*, Suisse, October 1968, 64 p.

VIVIER, Lucien, *Turbines hydrauliques et leur régulation : théorie, construction, utilisation*, Paris, Albin Michel, 1966, 581 p.

WOODWARD GOVERNOR COMPANY, *Cabinet Actuator for Governing Hydraulic Turbines*, Bulletin 07004F, no date.

WOODWARD GOVERNOR COMPANY, *Régulateur de turbine hydraulique en armoire*, bulletin 07004E, 1987, traduit par Hydro-Québec.

WOODWARD GOVERNOR COMPANY, *Actuator Governors*, bulletin 12000-18, no date, 20 p.

WOODWARD GOVERNOR COMPANY, *Régulateurs de vitesse*, notice technique nº 12000-18, adaptaté en français par Renée Lévy, service Rédaction et Traduction, Hydro-Québec, mars 1976, 41 p.

TABLE DES MATIÈRES

NOTES

Achevé d'imprimer
en janvier 1991
MARQUIS
Montmagny, QC